Hänsel et Gretel

Lorenzo
Mattotti

Jacob et Wilhelm Grimm

Traduit de l'allemand
par Jean-Claude Mourlevat

GALLIMARD JEUNESSE

À la lisière d'une forêt vivait un pauvre bûcheron avec sa femme et ses deux enfants. Le garçon s'appelait Hänsel et la fille Gretel. Une terrible disette s'abattit sur le pays et le pain vint à manquer tout à fait. Un soir, après s'être bien tourné et retourné dans son lit, le bûcheron soupira et dit à sa femme :

– Qu'allons-nous devenir ? Nous ne pouvons plus nourrir nos pauvres enfants.

– Sais-tu, mon mari, ce que nous allons faire ? répondit la femme. Demain à l'aube, nous les conduirons au plus profond de la forêt, nous leur donnerons à chacun un quignon de pain, puis nous partirons à notre travail et les laisserons seuls. Ils ne retrouveront pas le chemin de la maison et nous serons débarrassés d'eux.

– Non, femme, dit l'homme. Je ne ferai pas ça. Comment pourrais-je abandonner mes enfants dans la forêt, à la merci des bêtes sauvages ?

– Imbécile ! dit-elle. Tu préfères nous voir mourir de faim tous les quatre ? Autant raboter tout de suite les planches de nos cercueils !

Et elle le tourmenta ainsi jusqu'à ce qu'il cède.

– Tout de même, dit-il, ces pauvres petits me font peine.

Les deux enfants, que la faim empêchait de dormir, entendirent ce que la marâtre disait à leur père.
– C'en est fini de nous, pleura Gretel.
– Calme-toi, répondit Hänsel, et ne t'en fais pas, je trouverai bien un moyen de nous tirer de là.
Quand les parents furent endormis, il se leva, mit son habit, ouvrit la porte et se glissa dehors. La lune brillait et les cailloux blancs répandus devant la maison étincelaient comme des écus d'argent. Hänsel se pencha et en remplit sa poche jusqu'au ras. Puis il revint auprès de Gretel.
– Sois rassurée, chère petite sœur, et dors tranquille. Dieu ne nous abandonnera pas.

Au point du jour, la femme vint réveiller les deux enfants.
– Debout, paresseux, nous allons chercher du bois dans la forêt !

Elle donna à chacun un quignon de pain.
– Voilà pour votre midi, mais ne le mangez pas avant car vous n'aurez rien d'autre.
Comme Hänsel avait sa poche pleine de cailloux, Gretel mit le pain sous son tablier. Là-dessus, ils prirent le chemin de la forêt.
Ils étaient à peine partis que Hänsel s'arrêta pour regarder la maison derrière lui. Et il recommença plusieurs fois.
– Hänsel ! lui dit le père, qu'as-tu à traîner et à te retourner sans cesse ? Regarde plutôt où tu marches !
– Ah ! mon père, répondit Hänsel, je regarde mon petit chat blanc qui est monté sur le toit pour me dire adieu.
– Imbécile ! dit la femme, ce n'est pas ton chat, c'est le soleil du matin qui éclaire la cheminée.
Mais Hänsel n'avait pas regardé son petit chat, il avait seulement jeté chaque fois un caillou sur le chemin.

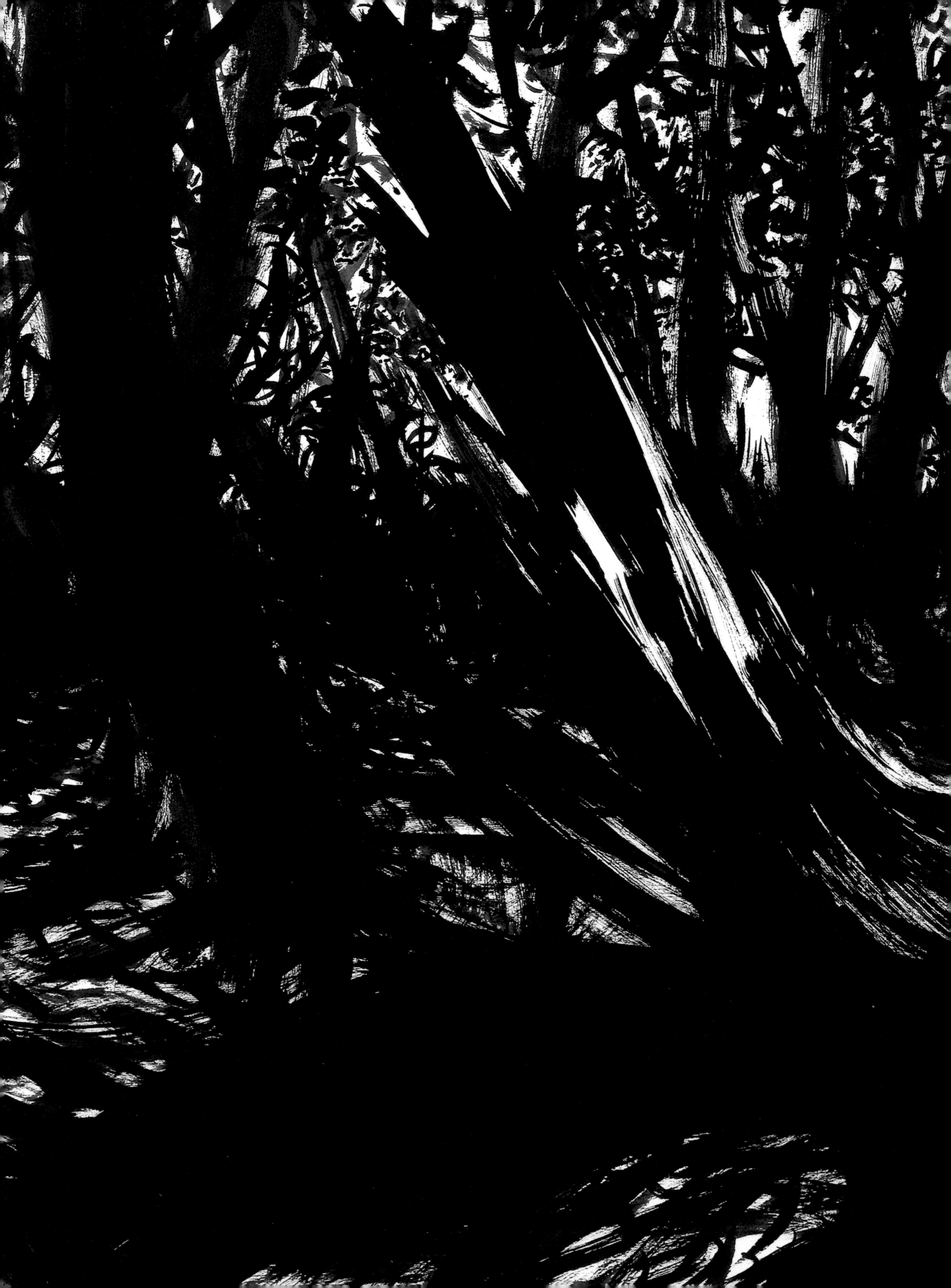

Quand ils furent au milieu de la forêt, le père dit :
– Ramassez du bois, les enfants, je vais faire un feu pour vous réchauffer.
Hänsel et Gretel rassemblèrent du petit bois et en firent un tas. On l'alluma et quand les flammes montèrent, la femme dit :
– Couchez-vous près du feu, et reposez-vous. Nous reviendrons vous chercher lorsque notre travail sera fini.
Hänsel et Gretel s'assirent autour du feu et, quand midi vint, chacun mangea son petit morceau de pain. Comme ils entendaient les coups de hache, ils crurent que leur père était tout près. Mais ce n'était pas la hache, c'était

une branche qu'il avait attachée à un arbre mort et que le vent faisait battre. Au bout d'un moment, ils tombèrent de fatigue, leurs yeux se fermèrent et ils s'endormirent.

À leur réveil, il faisait nuit noire. Gretel commença à pleurer.
– Comment sortirons-nous de la forêt ?
Mais Hänsel la consola :
– Attends un peu que la lune se lève, et nous trouverons bien notre chemin.
Quand la pleine lune fut levée, il prit sa petite sœur par la main et suivit les cailloux qui brillaient comme des écus neufs sur le chemin.

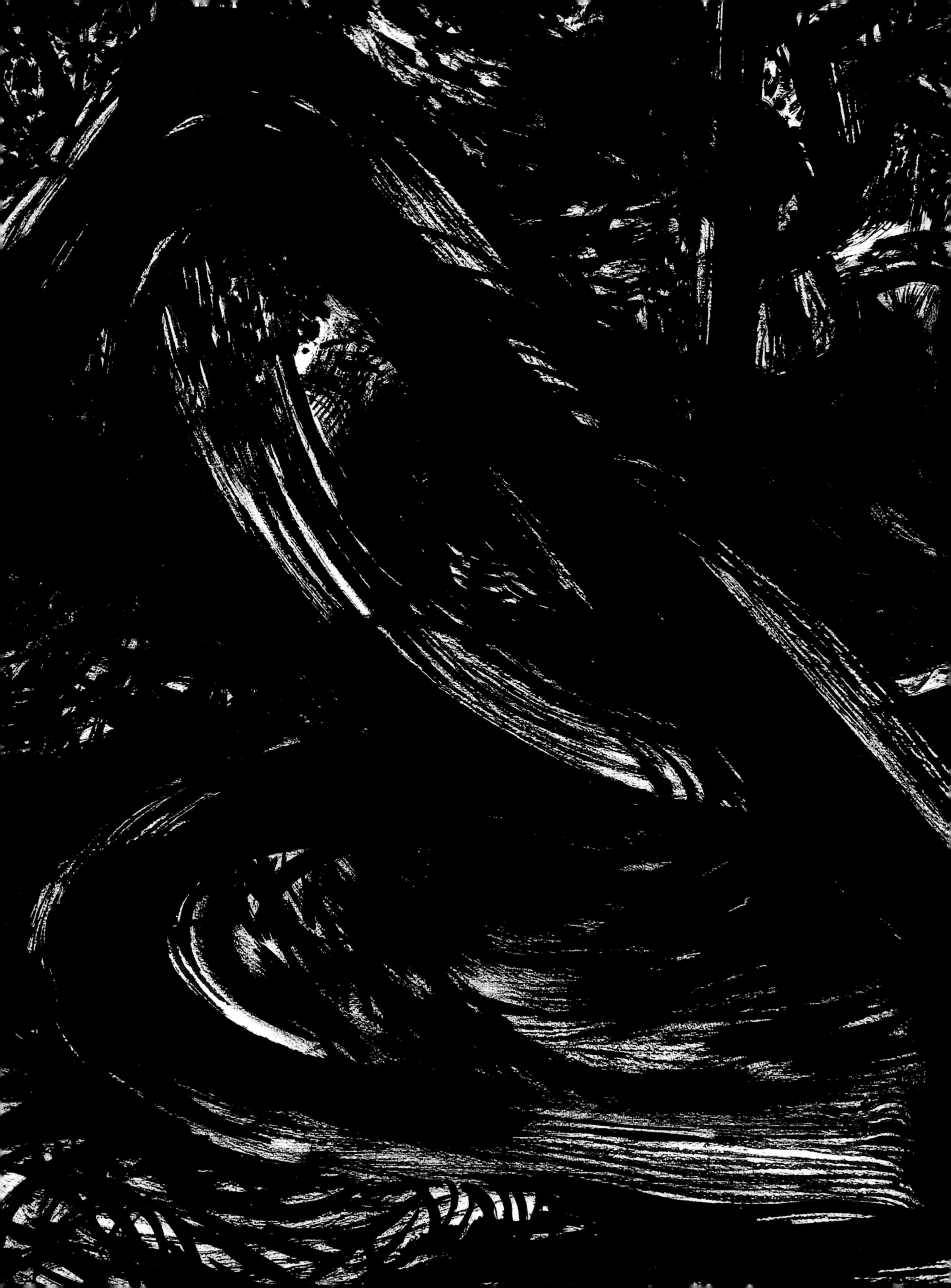

Ils marchèrent toute la nuit et arrivèrent au lever du jour à la maison de leur père. Ils frappèrent à la porte et, quand la femme vit que c'étaient eux, elle se mit en colère.
– Vilains enfants ! Pourquoi avez-vous dormi aussi longtemps dans la forêt ? Nous avons cru que vous ne vouliez pas rentrer.
Mais le père se réjouit, car il avait été très peiné de les laisser tout seuls.

Peu de temps après, la famine revint dans toute la région et, une nuit, les enfants entendirent la femme qui parlait ainsi à leur père :
– Voici que tout est consommé de nouveau, il ne nous reste qu'une demi-miche de pain, après

cela, finie la chanson ! Les enfants doivent partir, nous allons les perdre encore plus loin dans la forêt, afin qu'ils ne retrouvent pas leur chemin ; il n'y a pas d'autre salut pour nous.
L'homme en fut affligé, estimant qu'il valait mieux partager jusqu'à leur dernière miette avec les enfants. Mais la femme ne voulut rien entendre.

Les enfants avaient entendu la conversation. Quand les parents furent endormis, Hänsel se leva pour aller ramasser les cailloux comme la fois d'avant, mais la femme avait fermé la porte à clé et il ne put pas sortir. Il consola cependant sa petite sœur :
– Ne pleure pas, Gretel, et dors tranquille, le bon Dieu saura bien nous venir en aide.

Le lendemain matin, la femme vint les tirer du lit. Chacun reçut son quignon de pain, plus petit encore que la fois précédente. Chemin faisant, Hänsel en fit des miettes dans sa poche et s'arrêta à plusieurs reprises afin de les jeter par terre.

– Hänsel, dit le père, qu'as-tu à t'arrêter sans cesse et à regarder derrière ? Marche donc !

– Je regarde ma tourterelle qui s'est perchée sur le toit pour me dire adieu, répondit Hänsel.

– Imbécile ! dit la femme, ce n'est pas ta

tourterelle, c'est le soleil du matin qui éclaire la cheminée.
Mais Hänsel eut bientôt jeté toutes les miettes sur le chemin.

La femme les conduisit jusqu'au fin fond de la forêt, plus loin qu'ils n'étaient jamais allés de leur vie. On fit de nouveau un grand feu et la mère dit :
– Restez assis là, les enfants et, si vous êtes fatigués, faites un petit somme. Nous allons abattre du bois et ce soir, quand nous aurons fini, nous viendrons vous chercher.

À midi, Gretel partagea son pain avec Hänsel qui avait semé le sien sur le chemin. Puis ils s'endormirent et le soir arriva. Ils ne se réveillèrent qu'au plus profond de la nuit, et personne n'était venu les chercher. Hänsel consola sa sœur :
– Il suffit d'attendre que la lune se lève, alors nous verrons les miettes de pain que j'ai semées et elles nous conduiront jusqu'à la maison.

Quand la lune se leva, ils se mirent en route, mais ils ne trouvèrent aucun morceau de pain, comme les milliers d'oiseaux qui volaient dans la forêt les avaient picorés. Hänsel dit à Gretel :
– Nous trouverons bien notre chemin quand même.
Mais ils ne le trouvèrent pas. Ils marchèrent toute la nuit et toute la journée du lendemain, depuis le matin jusqu'au soir, sans réussir à sortir de la forêt. Ils étaient affamés

car ils n'avaient trouvé que quelques baies à manger. Et si fatigués que leurs jambes ne les portaient plus. Aussi ils s'allongèrent sous un arbre et s'endormirent. C'était maintenant le troisième matin depuis qu'ils avaient quitté la maison de leur père. Ils se remirent à marcher, mais ils ne faisaient que s'enfoncer encore plus loin dans la forêt. Bientôt, ils virent que sans aide prochaine ils seraient condamnés à mourir de faim.

À midi, ils rencontrèrent un joli petit oiseau, blanc comme la neige. Il était perché sur une branche et chantait si bien qu'ils s'arrêtèrent pour l'écouter. Quand il eut fini, il agita ses ailes et s'envola devant eux. Ils le suivirent jusqu'à une maison sur le toit de laquelle il se posa. Une fois tout près, ils s'aperçurent que la maison était faite de pain et recouverte de gâteau ; les fenêtres étaient en sucre.

– Voilà un fameux repas, dit Hänsel, on va lui faire honneur. Je vais avaler un morceau du toit. Gretel, mange un peu de la fenêtre, elle a l'air bonne. Hänsel monta sur le toit et en cassa un morceau pour voir quel goût il avait. Gretel croqua un bout de vitre. C'est alors qu'une voix délicate leur parvint de la pièce :

Croque croque, croquinette
Qui grignote ma maisonnette ?

Les enfants répondirent :

C'est le vent, le vent
Le céleste enfant

Et ils continuèrent à manger sans se laisser distraire. Hänsel, qui trouvait le toit délicieux, en arracha un grand morceau.

Gretel détacha une vitre tout entière de la fenêtre, s'assit par terre et s'y attaqua.
Alors la porte s'ouvrit brusquement et une très vieille femme sortit de la maison en s'appuyant sur des béquilles. Hänsel et Gretel eurent si peur qu'ils en lâchèrent ce qu'ils tenaient dans leurs mains. Mais la vieille dodelina de la tête et dit :
– Hé, mes chers enfants, qui vous a amenés ici ? Entrez donc chez moi, il ne vous arrivera aucun mal.
Elle les prit tous les deux par la main et les entraîna dans la maisonnette. Elle leur servit un bon repas : du lait et des crêpes au sucre, des pommes et des noix. Puis elle tendit de draps blancs deux jolis petits lits. Ils s'y couchèrent avec le sentiment d'être au Ciel.

La vieille, qui s'était présentée de façon si chaleureuse, était en réalité une méchante sorcière qui guettait les enfants et les attirait chez elle grâce à sa maison faite de pain. Dès qu'elle en capturait un, elle le tuait, le mettait à cuire et s'en faisait un festin. Les sorcières ont des yeux rouges et elles voient mal, mais elles ont autant d'odorat qu'une bête et elles savent quand des humains approchent. Elle avait flairé Hänsel et Gretel dès leur arrivée dans les parages et elle avait ricané :
– Je les tiens, ils ne m'échapperont pas !

De bon matin, elle se leva et alla les voir qui dormaient si gentiment dans leur lit avec leurs bonnes grosses joues rouges.
– Oh ! comme je vais me régaler, murmura-t-elle.
Puis elle empoigna Hänsel de ses mains sèches et l'emporta dans son étable où elle le jeta dans une cage fermée par une grille. Il eut beau crier, cela n'y fit rien.

Ensuite elle alla secouer Gretel et lui hurla :
– Debout, paresseuse. Apporte de l'eau à ton frère et prépare-lui quelque chose de bon à manger. Il faut qu'il grossisse. Quand il sera bien gras, je le mangerai.
Gretel se mit à pleurer à chaudes larmes, mais cela n'y changea rien, elle dut faire ce que la méchante sorcière exigeait.

À partir de ce jour, il lui fallut cuisiner les meilleurs plats pour le malheureux Hänsel, tandis qu'elle-même devait se contenter des épluchures. Chaque matin, la vieille se rendait à l'étable et criait :
– Hänsel, passe ton doigt à la grille, que je voie si tu es assez gras.
Mais Hänsel ne lui tendait qu'un petit os de poulet, et la vieille, qui avait la vue trouble, ne s'en rendait pas compte. Elle pensait tâter un de ses doigts et elle s'étonnait qu'il n'engraisse pas.

Au bout de quatre semaines, et comme Hänsel restait maigre, elle fut à bout de patience.
– Hé, Gretel, appela-t-elle, dépêche-toi d'aller chercher de l'eau ! Qu'il soit gras ou maigre, demain je tuerai Hänsel et je le ferai cuire.
Ah, comme elle se lamenta, la malheureuse petite sœur, et comme les larmes coulèrent sur ses joues !
– Mon Dieu, aide-nous, gémit-elle, il aurait mieux valu que les bêtes sauvages nous dévorent dans la forêt, au moins nous serions morts ensemble !
– Épargne-moi tes jérémiades, ricana la vieille, elles ne te serviront à rien.

Le lendemain matin, Gretel dut remplir la marmite d'eau, la suspendre et allumer le feu dessous.
– Nous allons commencer par cuire le pain, dit la vieille, j'ai déjà chauffé le four et pétri la pâte.

Elle poussa la pauvre Gretel vers le four, d'où jaillissaient des flammes.
– Entre dedans, dit-elle, et regarde si c'est assez chaud pour y enfourner le pain.
Elle comptait bien l'enfermer à l'intérieur, la faire cuire et la manger.
Mais Gretel comprit ce que la vieille avait en tête et elle répondit :
– Je ne sais pas m'y prendre, comment doit-on faire ?
– Petite sotte, pesta la vieille, l'ouverture est assez grande, regarde, je pourrais y passer moi-même.
Elle s'approcha et glissa sa tête dans le four. Alors Gretel la bouscula, et la poussa dedans tout entière. Puis elle referma la porte de fer et tira le verrou. Hou ! La vieille se mit à lancer des cris épouvantables ; mais Gretel l'ignora et la maudite sorcière fut condamnée à rôtir comme une misérable.

Gretel fila tout droit retrouver son frère et elle lui cria :
– Hänsel, nous sommes sauvés, la vieille sorcière est morte.
Elle ouvrit la grille, et Hänsel se précipita hors de sa prison comme un oiseau hors de sa cage. Ah comme ils furent heureux ! Comme ils s'embrassèrent ! Comme ils bondirent en tous sens ! Ils ne craignaient plus rien à présent, et ils entrèrent dans la chambre de la sorcière. Ils y trouvèrent quantité de caisses remplies de perles et de pierres précieuses.
– C'est encore mieux que des cailloux ! trouva Hänsel et il en bourra ses poches.
– Moi aussi je veux en rapporter, s'écria Gretel, et elle en remplit son tablier.
– Partons maintenant, dit Hänsel, et quittons cette forêt de malheur.

Après avoir marché quelques heures, ils arrivèrent au bord d'une large rivière.

– Nous ne pouvons pas traverser, dit Hänsel, je ne vois ni guet ni pont.
– Et pas de bateau non plus, ajouta Gretel, mais regarde : voilà un canard blanc, si je lui demande, il nous aidera.
Elle l'appela :

Petit canard, petit canard,
C'est nous, Hänsel et Gretel,
Pas de pont pas de guet
Emporte-nous de l'autre côté.

Le canard s'approcha. Hänsel s'assit sur son dos et invita sa sœur à le rejoindre.
– Non, répondit-elle, ce serait trop lourd pour lui, il doit nous prendre l'un après l'autre.
C'est ce que fit le brave animal, et ils passèrent sans dommage.

À mesure qu'ils marchaient, la forêt leur devint de plus en plus familière et ils aperçurent bientôt, au loin, la maison de leur père. Alors ils se mirent à courir, se précipitèrent dans la pièce et lui sautèrent au cou. Le malheureux n'avait pas connu un seul instant de joie depuis qu'il avait abandonné ses enfants dans la forêt, et sa femme était morte. Gretel secoua son tablier pour en faire tomber les perles et les pierres précieuses, tandis que Hänsel les puisait à poignées dans ses poches. Ce fut la fin de leur malheur et ils vécurent heureux ensemble.

Mon conte est fini
Tiens une souris !
Qui l'attrape
S'en fasse une cape !

ISBN 978-2-07-062562-8
Numéro d'édition 165498
Dépôt légal Octobre 2009
Loi n° 49-956 du 16 juillet 1949
sur les publications destinées à la jeunesse

Achevé d'imprimer en Belgique
par Imprimerie Proost